분수놀이

로렌 리디 글·그림 | 천정애 옮김

4와 5 사이에 있는 분수

$$4\frac{1}{2} \quad 4\frac{2}{3} \quad 4\frac{5}{6} \quad 4\frac{99}{100}$$

$$4\frac{1}{63}$$

미래i아이

'분수'란 무엇일까요?

어떤 수를 다른 수로 나눠 분자와 분모로 나타낸 것을 분수라고
해요. 예를 들어 1을 4로 나눠 '$\frac{1}{4}$'과 같이 나타낸 것을
분수라고 하지요. 여기서 가로선의 아래쪽에 있는 수를 분모라고
하고, 위쪽에 있는 수를 분자라고 해요.

$$\frac{1 \leftarrow \text{분자}}{4 \leftarrow \text{분모}}$$

로렌의 지식 그림책 6 분수놀이

제1판 1쇄 발행 · 2003년 11월 30일 | 제1판 5쇄 발행 · 2008년 1월 20일
지은이 · 로렌 리디 | 옮긴이 · 천정애 | 펴낸이 · 박혜숙 | 펴낸곳 · 미래M&B
등록 · 1993년 1월 8일(제10-772호) | 주소 · 서울시 서초구 서초3동 1550-13 소소헌 4층
전화 · 02-562-1800 | 팩스 · 02-562-1885 | 전자우편 · mirae@miraemnb.com | 홈페이지 · www.miraemnb.com
ISBN 978-89-8394-233-3 74840 | ISBN 978-89-8394-225-8 74840(세트) | 값 8,000원
* 잘못 만들어진 책은 바꾸어 드립니다.

아이의 미래를 여는 힘, **미래 i 아이** 는
미래M&B가 만든 유아·아동 도서 브랜드입니다.

FRACTION ACTION by Loreen Leedy
Copyright ⓒ 1994 by Loreen Leedy
Korean translation copyright ⓒ 2003 by Mirae Media & Books, Co.
All rights reserved. This Korean edition is published by arrangement with Holiday House, Inc.,
New York, NY through KCC, Seoul.

이 책의 한국어판 저작권은 한국저작권센터(KCC)를 통한 저작권자와의 독점 계약으로 미래M&B에 있습니다.
신저작권법에 의해 한국 내에서 보호를 받는 저작물이므로 무단 전재와 복제를 금합니다.

차 례

재미있는 분수 만들기

어느 날 아침, 수학 선생님이 교실 불을 모두 껐습니다.

먼저, 전체 모양을
하나 그려요.

그런 다음 두 부분으로
똑같이 나눠요.

이렇게 나눠진 부분 하나 하나를
'2분의 1'이라고 해요.

참 잘했어요! 이번엔 '3분의 1' 분수에 대해서 알아 볼까요?

먼저, 전체 모양을 하나 그려요.

그런 다음 세 부분으로 똑같이 나눠요.

이렇게 나눠진 부분 하나 하나를 '3분의 1'이라고 해요.

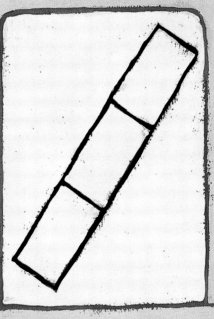

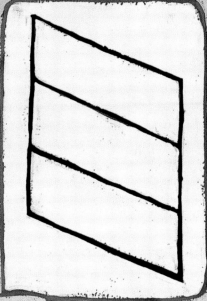

이것은 다른 모양을 세 부분으로 똑같이 나눈 거예요.

훌륭해요! 마지막으로
'4분의 1' 분수를 배워 봐요.

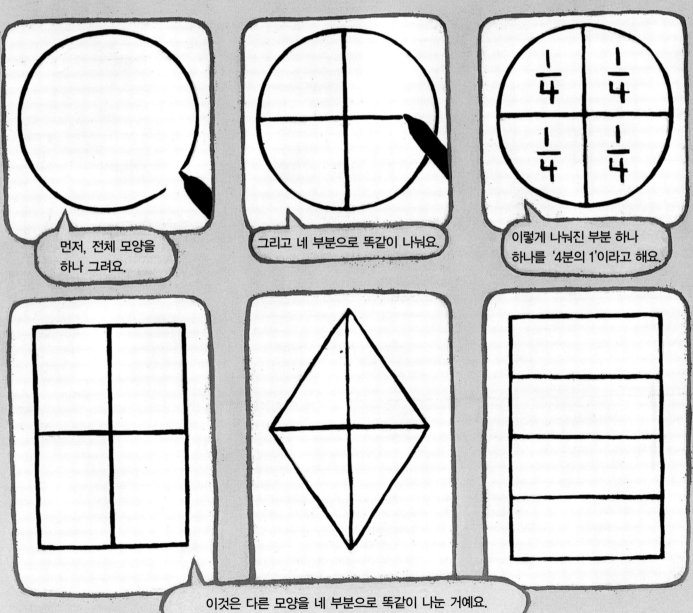

먼저, 전체 모양을
하나 그려요.

그리고 네 부분으로 똑같이 나눠요.

이렇게 나눠진 부분 하나
하나를 '4분의 1'이라고 해요.

이것은 다른 모양을 네 부분으로 똑같이 나눈 거예요.

이제 4분의 1인 것을 머릿속에 떠올려 봐요.

네 조각으로 자른 햄버거요.

똑같이 네 번 접은 종이돈이요.

네 조각으로 된 과자도 있어요.

네 잎 클로버요.

네 조각으로 자른 피자요.

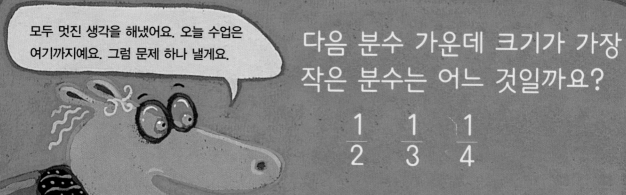

모두 멋진 생각을 해냈어요. 오늘 수업은 여기까지예요. 그럼 문제 하나 낼게요.

다음 분수 가운데 크기가 가장 작은 분수는 어느 것일까요?

$$\frac{1}{2} \quad \frac{1}{3} \quad \frac{1}{4}$$

정답은 32쪽에 있어요.

똑같이 구슬 나누기

며칠 뒤, 수학 선생님이 다시 교실 불을 모두 껐습니다.

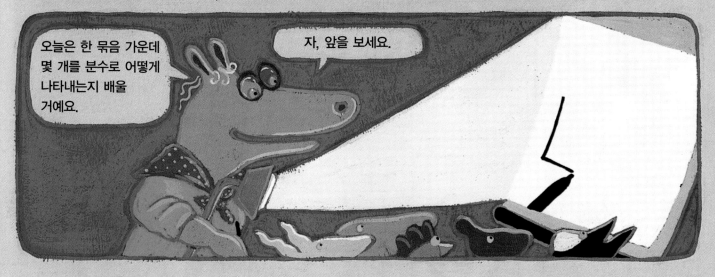

오늘은 한 묶음 가운데 몇 개를 분수로 어떻게 나타내는지 배울 거예요.

자, 앞을 보세요.

우리는 직사각형이에요. 두 개가 한 묶음이지요.

나는 이 묶음의 2분의 1이에요.

나는 나머지 2분의 1이고요.

우리는 삼각형. 세 개가 한 묶음이에요.

나는 이 묶음의 3분의 1이지요.

11

자, 잘 생각해 보세요.

우리가 모두 다섯 명이니까
구슬 전체를 5분의 1씩 나누면 돼.

구슬을 색깔별로 나누면 어떨까? 나래는 파랑, 누리는 노랑, 나는 빨강, 우람이는 보라, 다운이는 초록!

틀렸어. 구슬 개수가 모두
같아야 해!

내가 한번 해 볼게. 이렇게 한 줌씩
나누면 모두 똑같이 가지게 될 거야.

그래도 개수가 서로 달라.

아하! 어떻게 해야 할지 알았어!

이렇게 한 개씩 차례대로 나누는 거야. 먼저 하나부터 한 개, 다음은 나래 한 개, 나 한 개, 우람이 한 개, 누리 한 개.

이렇게 구슬이 없어질 때까지 계속 나누면 되겠네.

맞아. 이제 가지고 있는 구슬 수가 모두 같지?

나는 여섯 개야.

똑같이 나눠 먹어요

어느 토요일 낮에 나래네 집에 손님이 찾아왔습니다.

막 점심을 차리고 있었어요.

잘 있었니, 나래야?
잠깐 놀다 가도 되겠니?

오, 잘 됐구나! 우리가 도와 줄게.

16

이 수박은 어떡하지?

4분의 1로 자르면 모두 똑같이
먹을 수 있어요.

똑똑!

어서 드세요.

안녕, 나래야! 잠깐 놀러왔는데
들어가도 되겠니?

어, 그게……

19

모두가 똑같이 먹을 수 있는
과일 샐러드예요!

어머, 고맙지만 나는 배가
안 고프단다. 호호호.

점심을 만드는 데 어떤 분수를 사용
했을까요? 분수 세 개를 찾으세요.

정답은 32쪽에 있어요.

과일 주스 팝니다

다운이는 처음 값에서 4분의 3을 뺐어요. 여기에서 나머지 4분의 1을 빼면 남은 값은 얼마가 될까요?

정답은 32쪽에 있어요.

선생님이 치는 분수 시험

수학 선생님이 교탁을 톡톡 쳤습니다.

모두 여길 보세요! 오늘은 분수 시험을 볼 거예요.

아, 싫어요!

아위!

그런데 오늘 시험은 다른 때와는 달라요. 여러분이 나에게 문제를 내야 하니까요.

우리가요?

내가 답을 맞히면 내가 1점을 얻는 거예요.

누가 먼저 시작할래요?

하지만 내가 답을 틀리고 여러분이 왜 틀렸는지 알아내면 여러분이 점수를 얻는 거예요.

29

이 그림에서 보라 부분을 분수로 나타내면요?

5분의 1.

틀렸어요. 여섯 부분으로 나눠졌으니까 6분의 1이에요.

학생 선생님

종이 울렸네. 시험은 이제 끝났어요.

우리가 점수를 2분의 1 얻었고, 선생님이 2분의 1 얻었어요.

학생 선생님

동점이다!

수학 선생님의 반 아이들 가운데 꽃핀을 꽂은 하나를 분수로 어떻게 나타낼까요? (정답은 32쪽에 있어요.)

정 답

10쪽: 크기가 가장 작은 분수는 4분의 1이에요.

15쪽: 봉지 속에는 구슬이 30개 들어 있었어요.

21쪽: 점심을 만드는 데 쓰인 분수

오렌지를 자를 때 2분의 1($\frac{1}{2}$)

수박을 자를 때 4분의 1($\frac{1}{4}$)

과일 샐러드를 나눌 때 5분의 1($\frac{1}{5}$)

27쪽: 4분의 3을 뺀 값에서 4분의 1($\frac{1}{4}$)을 또 빼면 남는 값은 0원이 된답니다.

31쪽: 반 아이들이 모두 다섯 명이니까 꽃핀을 꽂은 하나는 5분의 1($\frac{1}{5}$)이에요.

로렌 리디

1959년 미국 델라웨어 주 윌밍턴에서 태어나 대학에서 미술을 공부했습니다. 졸업한 뒤에는 점토로 독특하게 생긴 동물 모양의 액세서리와 체스 조각을 만들어 팔았으며, 25살 이후부터 책에 그림을 그리기 시작했습니다. 지금까지 30여 권이 넘는 어린이 책에 직접 글을 쓰고 그림을 그렸는데, 그녀의 책은 모두 쉬우면서도 재미와 교육적인 내용을 함께 담고 있다는 평을 받았습니다. 수학, 과학, 인성, 생태 등 다양한 주제로 지식 그림책을 펴낸 로렌은 1987년에는 '페어런트 초이스 상'을, 1989년에는 뛰어난 화가에게 주는 '에즈라 잭 키츠 상'을 받았습니다. 지금은 플로리다 해변의 티튜스빌에 있는 작업실에서 열심히 어린이 책을 만들고 있습니다.

천정애

1970년 부산에서 태어나 부산대학교에서 수학 교육을 전공하고, 같은 대학교에서 수학 교육으로 석사 학위를, 대수학으로 박사 학위를 받았습니다. 딸아이가 태어나면서 그림책에도 관심을 가지게 되었습니다. 지금은 고등학교에서 수학을 가르치며 아이에게 좋은 책을 읽어주기 위해 틈틈이 공부하고 있습니다. 옮긴 책으로는 『덧셈놀이』, 『뺄셈놀이』, 『곱셈놀이』 등이 있습니다.